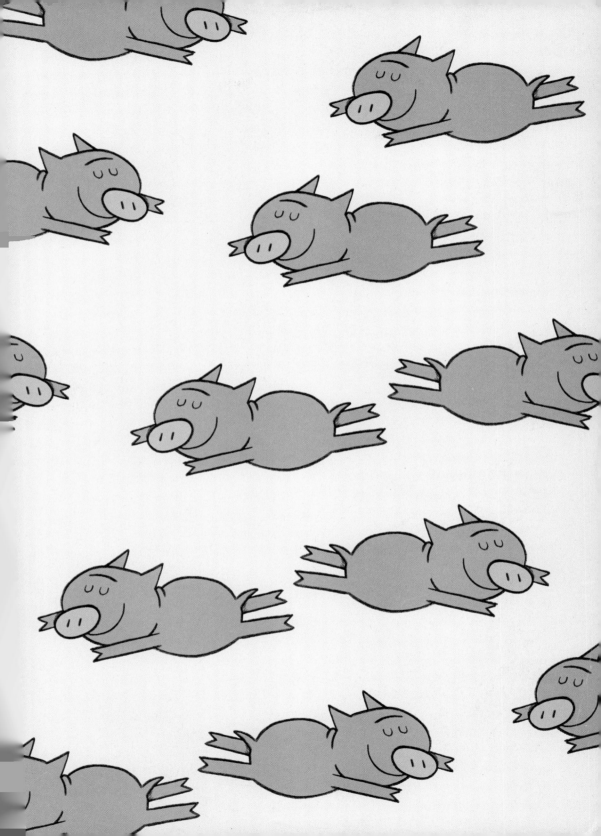

A mi amiga Alessandra

Originally published in English as *Today I Will Fly!* by Hyperion Books for Children.

Translated by F. Isabel Campoy

Copyright © 2007 by Mo Willems.
Translation copyright © 2015 by Hyperion Books for Children.

ISBN 978-1-338-13086-7

10 9 8 7 6 5 4 3 2 1   17 18 19 20 21

Printed in the U.S.A.   40
First Scholastic Spanish printing 2017

**Adaptado al español
por F. Isabel Campoy**

¡Hoy volaré!

Por **Mo Willems**

Un libro de **ELEFANTE** y **CERDITA**

SCHOLASTIC INC.

3

4

Tú no volarás la próxima semana.

8

9

Adiós.

Ella no volará.

¡Volar, volar, volar, volar,

volar, volar, volar, volar!

¡Volar, volar, volar, volar!

Necesitas ayuda.

¡Buscaré ayuda!

19

¡GUAU! ¡GUAU! ¡GUAU!

23

24

No has volado.

¿Salté?

¡Adiós!

Necesitas ayuda.

Sí, necesito ayuda.

¿Vas a ayudarme?

Lo haré.
Te ayudaré.

Gracias.

¿Hola?

¡Hola!

¡Hoy estás volando!

¡Yo *no* estoy volando!

Me están ayudando.

¡Gracias por ayudarme!